D1174292

LA GRÈCE

L'édition originale de cet ouvrage a paru sous le titre: *GREECE*

70 Old Compton Street, London W1

Adaptation française de Florence van Thiel
Illustrations de Rob Shone

D/1989/0195/18
ISBN 2-7130-0974-X
(édition originale: ISBN 0 86313 546 3)

Exclusivité au Canada:
Les Éditions École Active
2244, rue Rouen, Montréal H2K 1L5
Dépôts légaux, 1er trimestre 1989,
Bibliothèque nationale du Québec
Bibliothèque nationale du Canada
ISBN 2-89069-205-1

Imprimé en Belgique

SOMMAIRE

À TRAVERS L'HISTOIRE

LA GRÈCE

1600-30 av. J.-C.

Anton Powell - Florence van Thiel

Éditions Gamma – Les Éditions École Active
Paris - Tournai - Montréal

INTRODUCTION

De tous les peuples de la terre, les Grecs anciens étaient certainement des plus joyeux et des plus créatifs. Villes et villages étaient le théâtre de fêtes pittoresques, de réunions bruyantes – mais aussi de guerres féroces. Les conteurs s'en transmettaient des histoires d'amour, de combats et d'aventures, livrant parfois des détails d'une précision étonnante sur les temps préhistoriques. Des penseurs éclairés exposaient sur la divinité et sur l'esprit humain des idées d'intérêt universel.

Les Grecs adoptèrent une écriture alphabétique, ancêtre de la nôtre. Ils inventèrent l'art dramatique. Nous leur devons aussi la démocratie, le système politique qui permet à l'ensemble des citoyens de gouverner eux-mêmes leur cité.

La Grèce ancienne était un ensemble de centaines de villes, tellement attachées à leur indépendance, que jamais elles ne s'unirent pour constituer une puissance qui, probablement invincible, aurait pu annexer de vastes territoires d'Europe et d'Asie.

Aussi Alexandre, le souverain d'un État limitrophe, put-il imposer son pouvoir sur l'ensemble du pays. Adoptant les méthodes de combat des vaincus, il conquit pratiquement tout le Moyen-Orient, y répandant l'usage de la langue et des coutumes grecques.

Ce livre examinera la civilisation grecque ou hellénique entre1600 et le dernier siècle av. J.-C., divisant son histoire en quatre périodes principales: la période mycénienne, l'ère d'expansion, le siècle d'or d'Athènes et la période hellénistique.

Si les Grecs devinrent de grands penseurs, c'est en partie parce qu'ils avaient l'esprit critique et qu'ils osaient se moquer d'eux-mêmes. L'illustration montre la fête de Dionysos, le dieu du vin. A Athènes, elle comportait des représentations comiques qui caricaturaient jusqu'aux autorités. Même Périclès, ce sage politicien tant admiré parce qu'il défendait la ville contre Sparte, sa farouche ennemie, n'était pas épargné et on le déclarait aussi hautain que le dieu Zeus en personne.

LES MYCÉNIENS ± 1600-1150 av. J.C.

La première grande civilisation de la Grèce continentale porte le nom de la ville de Mycènes. Nous la connaissons à travers les fouilles archéologiques et l'art poétique des Hellènes eux-mêmes. Les Mycéniens parlaient le grec. Le style de leurs objets en métal, de leur peinture et de leur architecture de palais était largement emprunté à la civilisation minoenne, née antérieurement en Crète.

Il semble que le monde mycénien ait été un ensemble de petits royaumes prospères. Les archéologues ont découvert des palais en différents endroits du sud de la Grèce; certains étaient flanqués d'énormes tombes royales. Leur construction dut imposer un dur labeur aux gens du peuple et témoigne donc du pouvoir des rois sur leurs sujets.

La civilisation mycénienne sombra vers 1200 sous les coups de conquérants dont l'identité est encore incertaine.

L'illustration montre la porte des Lions, l'entrée principale de Mycènes. Des hommes maîtrisent avec peine un taureau destiné au sacrifice, tandis que deux dames de la famille royale sortent en char. Les gardes des remparts portent des casques garnis de défenses de sangliers.

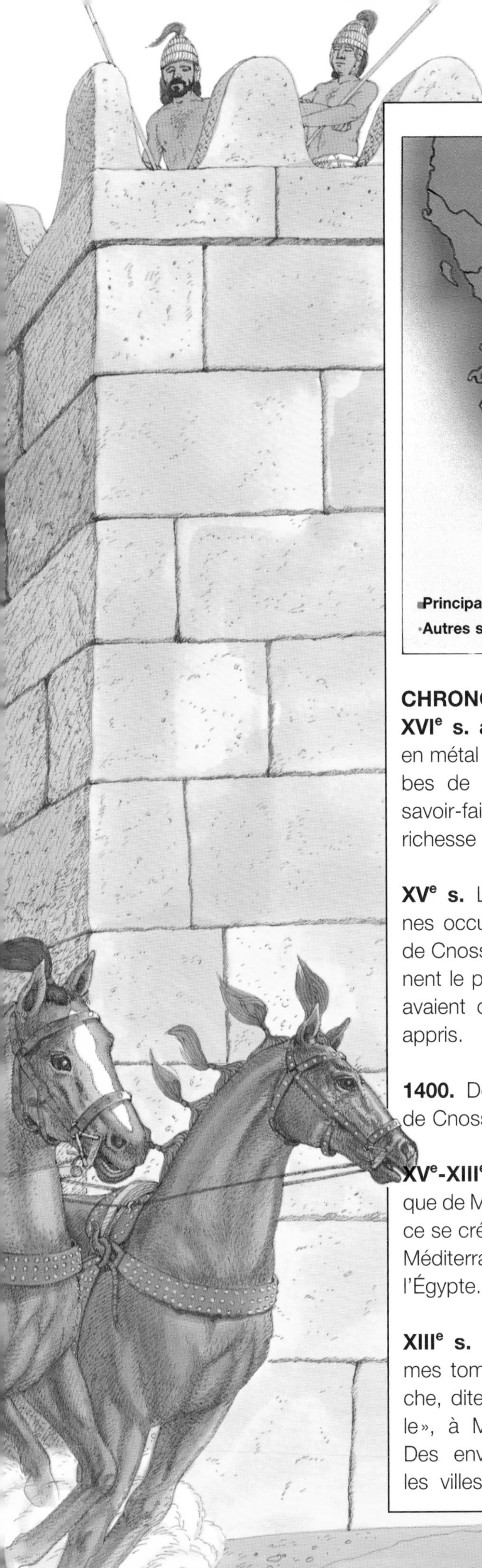

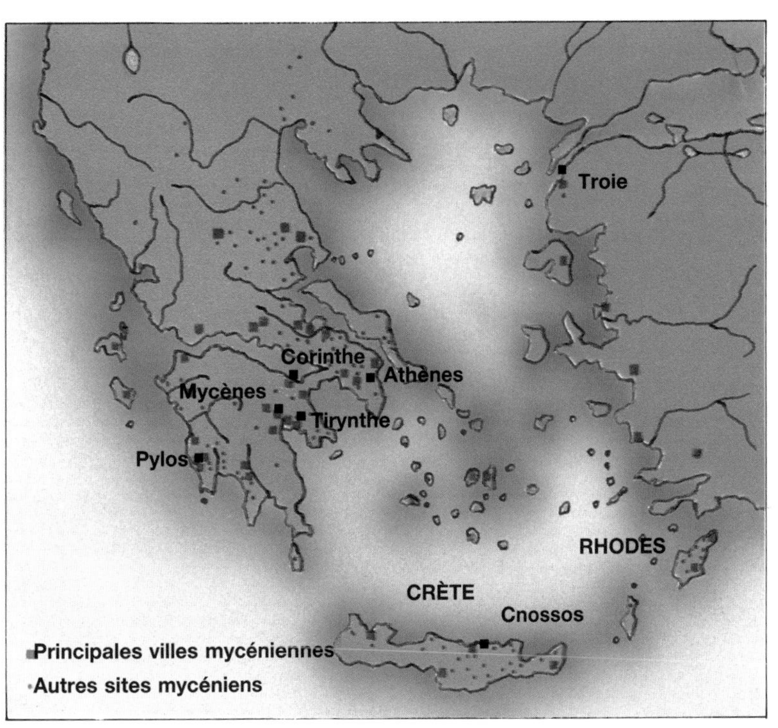

CHRONOLOGIE

XVIe s. av. J.-C. Les objets en métal placés dans les tombes de Mycènes révèlent le savoir-faire des artisans et la richesse des souverains.

XVe s. Les Grecs de Mycènes occupent le grand palais de Cnossos en Crète et dominent le peuple crétois dont ils avaient cependant beaucoup appris.

1400. Destruction du palais de Cnossos.

XVe-XIIIe s. La grande époque de Mycènes. Un commerce se crée avec les pays de la Méditerranée orientale et l'Égypte.

XIIIe s. Construction d'énormes tombes en forme de ruche, dites « tombes à coupole », à Mycènes notamment. Des envahisseurs menacent les villes, aussi des fortifications sont-elles dressées autour des palais. Construction de la porte des Lions à Mycènes et des remparts de « Tyrinthe aux nombreux murs » comme dit Homère.

Fin XIIIe s. Les Mycéniens auraient saccagé la ville de Troie au nord-ouest de l'Asie mineure, à la suite d'une campagne qui deviendra plus tard célèbre sous le nom de « guerre de Troie ».

1200. Le palais de Pylos est conquis et brûlé.

1150. Mycènes subit le même sort. La destruction fut-elle l'œuvre d'une peuplade locale ou de Doriens venus du nord ? Nous ne le savons. Mais les incendies qui détruisirent les palais cuisirent accidentellement de nombreuses tablettes d'argile, conservant ainsi pour nous de précieuses archives.

Le trésor de Mycènes

Tout au long des siècles la tradition grecque perpétua le souvenir de « Mycènes la dorée » une ville fortifiée d'une richesse fabuleuse. C'est au XIXe siècle qu'un Allemand, Heinrich Schliemann, se mit à fouiller le site (voir illustration). Il trouva des masques en or représentant les visages des souverains défunts. Le plus célèbre est reproduit à droite. A cette même époque, d'habiles artisans alliaient des métaux précieux de couleurs différentes pour décorer de délicates scènes de chasse sur des poignards purement ornementaux ou des gobelets de fête. Le cuivre et l'or devaient être importés de l'étranger.

La chasse aux sangliers

La chasse était l'occupation favorite de l'aristocratie mycénienne. Celle au sanglier était passionnante mais dangereuse, car les défenses de l'animal causaient des blessures sérieuses, souvent mortelles. Une fresque de Tirynthe montre des chasseurs des deux sexes se livrant à cet exercice. La chair des animaux était mangée; les défenses, fendues longitudinalement, constituaient le revêtement des casques. Le bouclier en forme de huit servait aussi dans la chasse au lion que l'on rencontrait alors en Grèce.

Les tombes
Les rois de Mycènes étaient grandement honorés après leur mort. Le peuple croyait en une vie dans l'au-delà. Des souverains furent enterrés dans des tombes à coupole; des chambres somptueuses, en pierres soigneusement taillées, étaient recouvertes d'une couche de terre. On pense que de grands plateaux de bois servaient à hisser les lourdes pierres. Le linteau de l'entrée de la tombe (voyez le dessin ci-contre) pèse près de 100 tonnes.

Le linéaire B
Les scribes des palais inscrivaient sur des tablettes d'argile des signes fort différents de ceux de l'écriture grecque ultérieure. Leur écriture, appelée «linéaire B», fut déchiffrée en 1953, et la langue se révéla être du grec. Les tablettes découvertes furent rédigées peu avant la chute de Mycènes. Elles détaillent les offrandes faites aux dieux – comme du miel et des parfums et font l'inventaire méticuleux des réserves du palais royal, jusqu'aux plus humbles objets et y compris les chars hors d'usage.

Armure

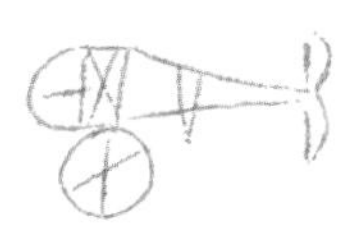

Char

Deux épopées célèbres
Deux grands poèmes, longs comme des romans modernes, l'Iliade et l'Odyssée, ont depuis des temps immémoriaux, fait la joie des Grecs. Ils chantent les guerriers qui, sous la conduite d'un roi de Mycènes, attaquèrent la place forte de Troie. Sur le chemin du retour les combattants durent affronter de terribles dangers. (L'illustration montre Troie telle qu'on peut se l'imaginer et la photo ce qui en subsiste).

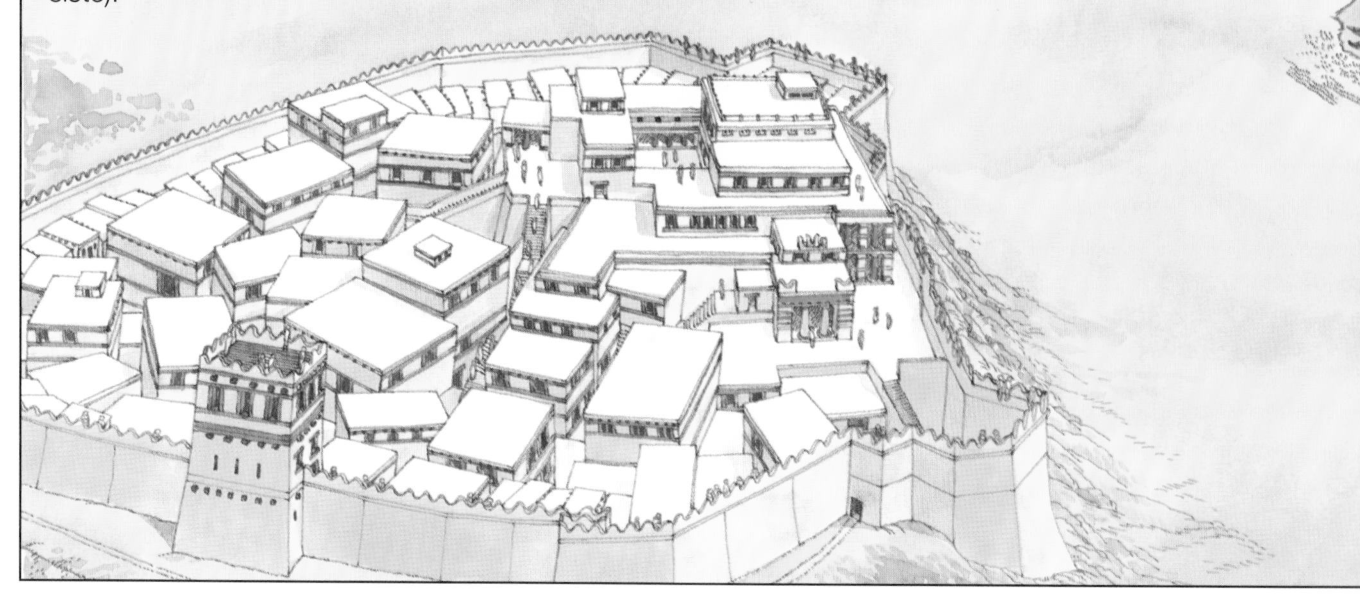

Les conteurs
Les Grecs croyaient que l'Iliade et l'Odyssée étaient l'œuvre d'un seul poète : Homère. Mais il apparaît aujourd'hui que de nombreux conteurs participèrent à leur création. Ces « aèdes » composaient oralement et mémorisaient des strophes de poètes anciens, y ajoutant de nouveaux versets. Ils les récitaient avec accompagnement musical, souvent devant un auditoire de paisibles campagnards ravis par ces histoires d'aventures et de morts violentes.

La guerre de Troie

L'Iliade rapporte un épisode de la guerre menée par Agamemnon contre les Troyens. Ce roi avait été publiquement humilié quand la reine Hélène, la femme de son frère, avait été enlevée par un prince de Troie. Il fallait rappeler au peuple la puissance du roi et écraser l'adversaire.

Les personnages sont dépeints avec vérité, ni totalement bons, ni totalement mauvais. Agamemnon lui-même commet une erreur; il insulte Achille, son meilleur guerrier en lui prenant une captive. Ce dernier se retire sous sa tente, laissant les Troyens libres d'attaquer. La violence extrême est décrite avec réalisme. Les hommes hurlent de douleur. Achille retourne au combat lorsqu'il apprend que son meilleur ami a été tué par Hector. Il abat le Troyen et traîne son cadavre autour des murs de la ville sous les regards horrifiés de ses parents et de ses compagnons d'armes.

L'Odyssée

Ulysse, le héros de l'Odyssée, est un homme fort et astucieux. Au cours du voyage qui le ramène de Troie et dure des années, il doit affronter des êtres légendaires. Certains de ses compagnons sont dévorés par le Cyclope, un monstre à l'œil unique; mais Ulysse lui échappe en l'aveuglant avec un pieu. Ensuite, son bateau est pris dans un tourbillon et le naufragé reste suspendu à une branche, «tel une chauve-souris» jusqu'à réapparition de l'épave.

L'ÈRE D'EXPANSION ± 1000-479 av. J.-C.

Après la disparition des somptueuses cités mycéniennes, la Grèce entra dans une période obscure et peu connue. Fermiers, pêcheurs et artisans devaient lutter pour vivre : on manquait de nourriture et de terres. Nombre de Grecs émigrèrent alors, par choix ou par nécessité. Ils fondèrent des colonies sur la côte occidentale de l'Asie mineure, puis le long de la mer Noire et en Méditerranée occidentale.

Ces établissements furent, au départ, des communautés agricoles. Mais, après une période d'organisation, elles se mirent à vendre les surplus de céréales à d'autres cités. Ce commerce fut source de grandes richesses, et les Grecs restés au pays disaient, en riant, que certains colons pouvaient se permettre de dormir tout le jour et de boire toute la nuit ! Pendant ce temps l'écriture mycénienne s'était perdue. Après des siècles d'analphabétisme, les Grecs adoptèrent l'écriture phénicienne qui est à l'origine de notre alphabet ; ce mot vient de ses deux premières lettres, alpha et bêta.

Théra, une petite île de la mer Égée, força une partie de ses habitants à émigrer. Ceux-ci tentèrent, sans succès, de fonder une colonie sur la côte septentrionale de l'Afrique. Ils revinrent à Théra. Mais la population de l'île s'opposa avec fureur à leur débarquement, leur lançant toutes sortes de projectiles et les obligeant à retourner d'où ils venaient. C'est alors qu'ils fondèrent la ville de Cyrène.

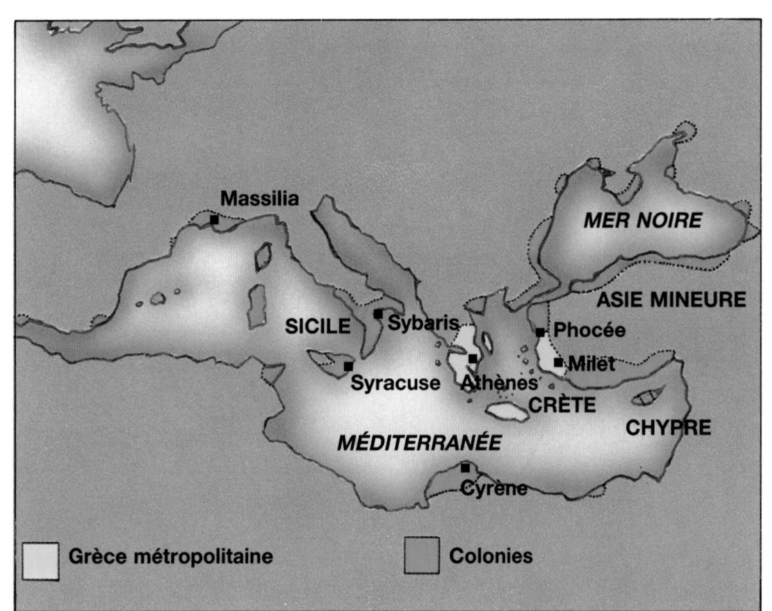

CHRONOLOGIE

± 1150 av. J.-C. Chute de Mycènes. Début des «siècles noirs». Plus de construction de palais, ni de beau travail du métal.

± 1000. Les Grecs colonisent la côte occidentale de l'Asie mineure.

VIIIe s. Les poèmes homériques atteignent leur forme définitive. Introduction de l'écriture. Création des Jeux Olympiques. Les habitants de Corinthe fondent la colonie de Syracuse en Sicile.

± 700. Invention de l'ordre de bataille en «phalange», une formation serrée de fantassins lourdement armés appelés «hoplites». Grâce à la puissance qu'ils acquièrent, ces militaires mettent fin à plus d'un gouvernement aristocratique. Au cours des VIIe et VIe siècles de nombreuses cités seront dirigées par des «tyrans». Ces nouveaux souverains sont les favoris des hoplites.

± 600. Les Grecs introduisant l'usage de la monnaie, une invention due aux Lydiens d'Asie mineure.

Début du VIe s. La poétesse Sappho, originaire de Lesbos, écrit des œuvres encore appréciées aujourd'hui.

VIe s. Naissance de la philosophie. Pythagore explore les mathématiques. Les Grecs tracent leurs premières cartes géographiques. Ils s'adonnent à une réflexion intelligente sur l'astronomie, la physique et les dieux.

Début du Ve s. Athènes soutient les Grecs d'Asie mineure dans leurs vains efforts pour se libérer du joug perse.

490. Pour se venger, les Perses attaquent Athènes mais sont vaincus à Marathon.

480-479. Une puissante armée perse tente d'envahir la Grèce. Elle est défaite, sur mer à Salamine et sur terre à Platées.

La cité

La Grèce d'après la période mycénienne était faite de centaines de petits États, parfois grands comme un village. Mais tous portaient le nom de cité et avaient leur gouvernement propre. Dans certains États, le pouvoir était exercé par une « oligarchie » ou groupe de quelques hommes riches qui annonçaient leurs décisions au peuple. Dans d'autres par un « tyran », un dictateur, parfois élu. Vers la fin du VIe s. quelques cités connurent la démocratie. Ce système politique permettait aux citoyens mâles de décider ensemble des affaires publiques au cours de réunions joyeuses !

La vie à la campagne

La plupart des Grecs vivaient de la terre. L'illustration montre une famille pauvre entretenant le domaine d'un riche propriétaire. La maison de ce dernier est flanquée d'une haute tour où sa femme et ses filles mènent une vie paisible et abritée. Le laboureur utilise une charrue pourvue d'un soc en fer – métal dont l'usage se répandit largement après l'époque mycénienne. Près de la maison, sa femme recueille du miel; sa fille gaule des olives. Son fils ramène de la chasse lièvres et canards. Les esclaves aussi exécutaient une grande partie des travaux. Un laboureur, qui était poète, écrivait qu'il fallait une femme pour suivre la charrue, mais qu'il valait mieux acquérir une esclave plutôt qu'une épouse !

Les immortels

La plupart des Grecs croyaient que les événements de ce monde était régis par des dieux et des déesses. La foudre frappait-elle une maison, Zeus devait être en colère; une femme mourait-elle en couches, Artémis lui avait décoché une flèche. Pour s'attirer l'amitié d'un garçon ou d'une fille, il fallait prier Aphrodite, et pour éviter le naufrage, il était bon d'offrir du vin à Poséidon avant de prendre la mer. Les gens inquiets cherchaient conseil auprès des dieux. Pour leur plaire, le peuple leur dressait des temples dans des sites ravissants jouissant de beaux panoramas, au sommet des collines, ou sur des promontoirs. Les temples n'étaient pas des lieux de prière mais les maisons des dieux.

1. Artémis (chasse)
2. Esculape (médecine)
3. Dionysos (vin)
4. Athéna (sagesse)
5. Pan (bergers)
6. Zeus (maître du ciel)
7. Héra (épouse de Zeus)
8. Apollon (musique et arts)
9. Arès (guerre)
10. Déméter (blé et terre)
11. Aphrodite (amour)
12. Poséidon (mer)

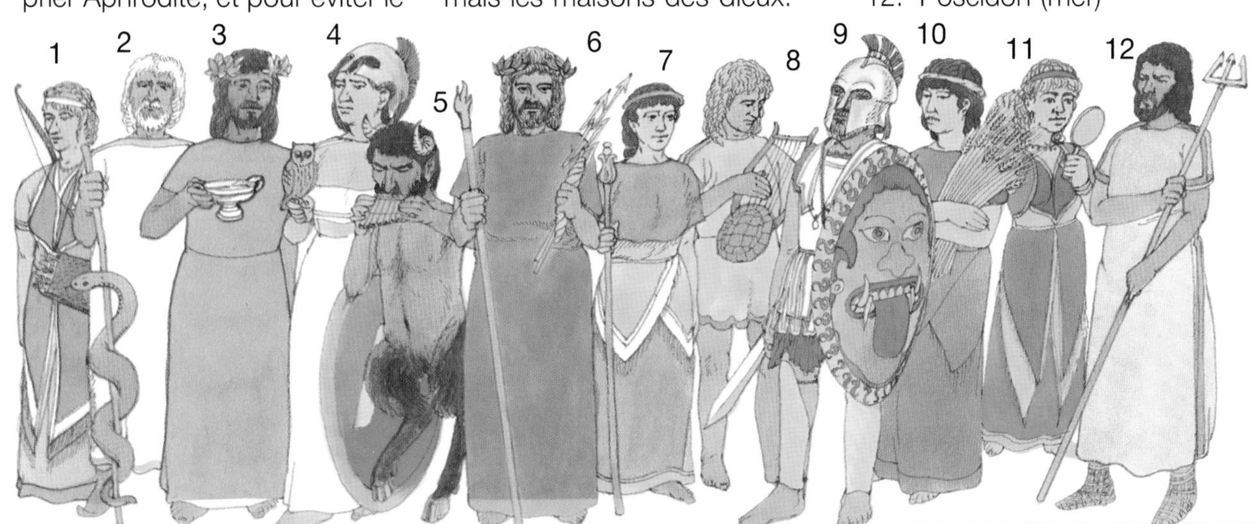

En agriculture, les Grecs d'aujourd'hui ont conservé bien des méthodes anciennes: souvent les femmes travaillent aux champs et les récoltes sont transportées à dos d'âne. La photographie montre le battage du blé encore exécuté suivant une méthode traditionnelle.

La vie de la femme

Peu de femmes recevaient alors de l'instruction. La poétesse Sappho fut une brillante exception. Elle chanta ses amies et sa fille, la charmante Kleis.

Les femmes des milieux aisés restaient chez elles. Leur tâche principale était de donner des enfants – des fils surtout – qui prendraient soin des parents dans leur vieillesse. Une femme stérile pouvait être répudiée ou abandonnée. Dans la crainte de pareil destin, certaines épouses feignaient parfois une grossesse et introduisaient en fraude le bébé d'une étrangère dans leur maison.

Les femmes filaient la laine et en confectionnaient des vêtements. La photo montre une femme actuelle tissant suivant la méthode traditionnelle. Comme un teint hâlé pouvait faire croire que la femme travaillait aux champs et était pauvre, les femmes élégantes étaient très fières d'être pâles.

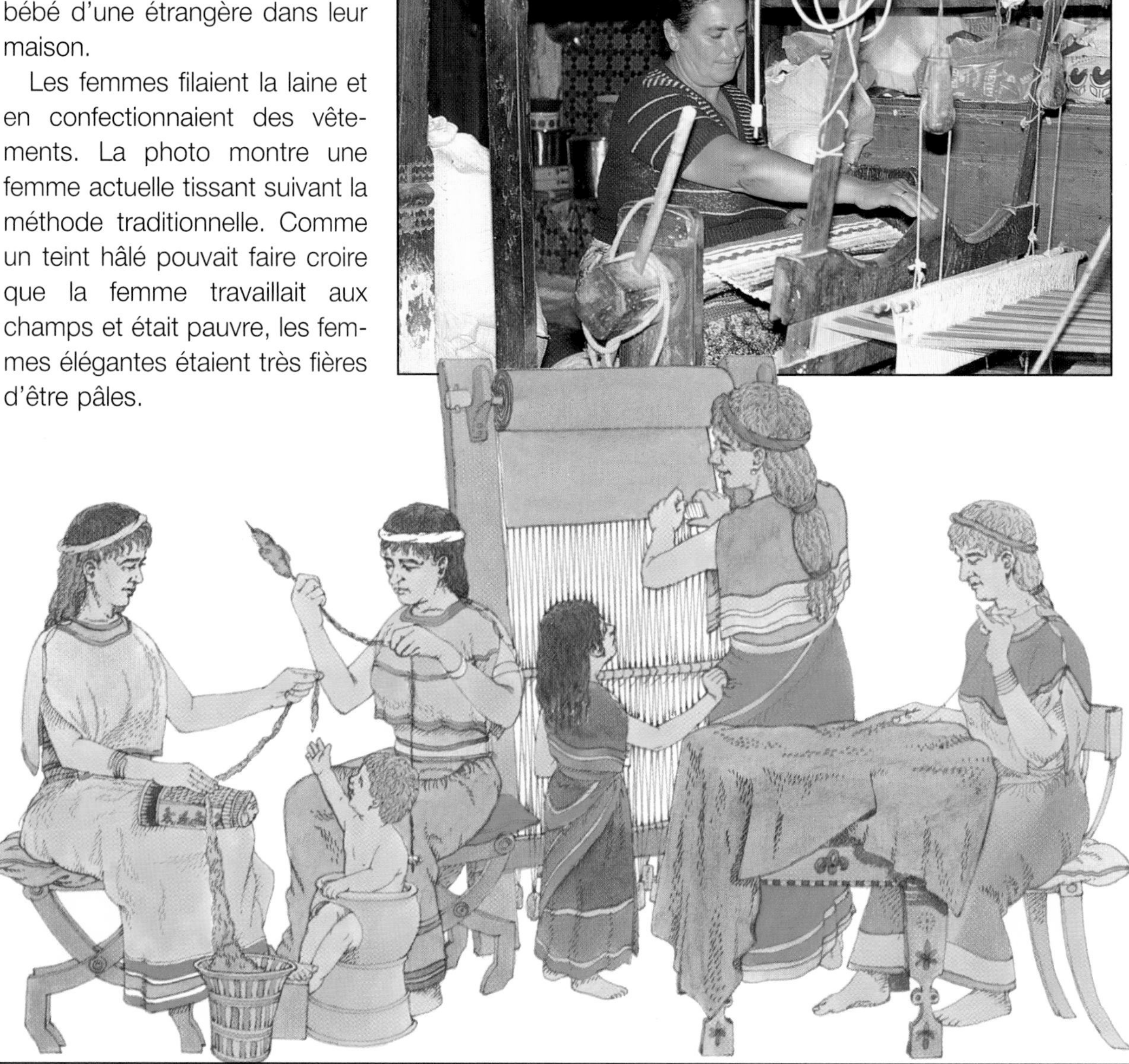

Les guerres médiques

A l'est de la Grèce s'étendait le vaste empire des Mèdes et des Perses. Il englobait la majeure partie du Moyen-Orient et disposait de ressources bien supérieures à celles des Hellènes. En 490, le roi Darius envoya une force restreinte attaquer les Athéniens, mais elle fut défaite à Marathon. La légende rapporte qu'un messager courut à Athènes annoncer la victoire. Ce fut le premier marathon!

La Perse devait se venger sous peine de paraître faible et de voir certains de ses sujets se révolter. Le roi Xerxès mobilisa donc, en 480, des centaines de milliers d'hommes pour envahir la Grèce par terre et par mer. Les Grecs ne cédèrent pas à la panique. Trois cents hoplites de Sparte allèrent au-devant de la mort en essayant d'empêcher la formidable armée de forcer le célèbre défilé des Thermopyles.

Lors de la bataille de Salamine, la flotte perse fut attirée dans une baie étroite et ses vaisseaux furent précipités les uns contre les autres, emboutis par les navires grecs plus lents et plus lourds. Xerxès s'enfuit. Sur terre, ses dernières troupes furent défaites à Platées par des effectifs grecs sous commandement de Sparte.

LE SIÈCLE D'OR 478-405 av. J.-C.

Après Salamine, Athènes domina en mer Égée. Des États grecs recherchèrent alors son alliance et la payèrent pour organiser des raids navals en territoire perse. L'alliance se transforma graduellement en un empire maritime athénien, dont les navires de guerre protégeaient les marchands et capturaient les pirates. Athènes forçait les cités grecques à adopter la démocratie et leur faisait payer un tribut.

Grâce à ces nouveaux revenus et à la sagesse de son chef, Périclès, elle connut son âge d'or. Des temples superbes furent construits, tel le Parthénon; l'art dramatique se développa. Des idées neuves, choquantes parfois, circulèrent au sujet de la société et des dieux. Mais la grandeur d'Athènes suscita l'appréhension de Sparte, sa rivale. Rusés, courageux et cruels, les Spartiates écrasèrent les Athéniens après de longues années de guerre.

Une scène en 447. Le Parthénon, grand temple d'Athéna, est en construction sur l'acropole (la ville haute). Derrière les échafaudages de bois s'élèvent les colonnes faites de tambours de pierre. Des citoyens admirent les sculptures qui surmonteront les colonnes. Le temple abritera la statue d'or et d'ivoire de la déesse, œuvre de Phidias.

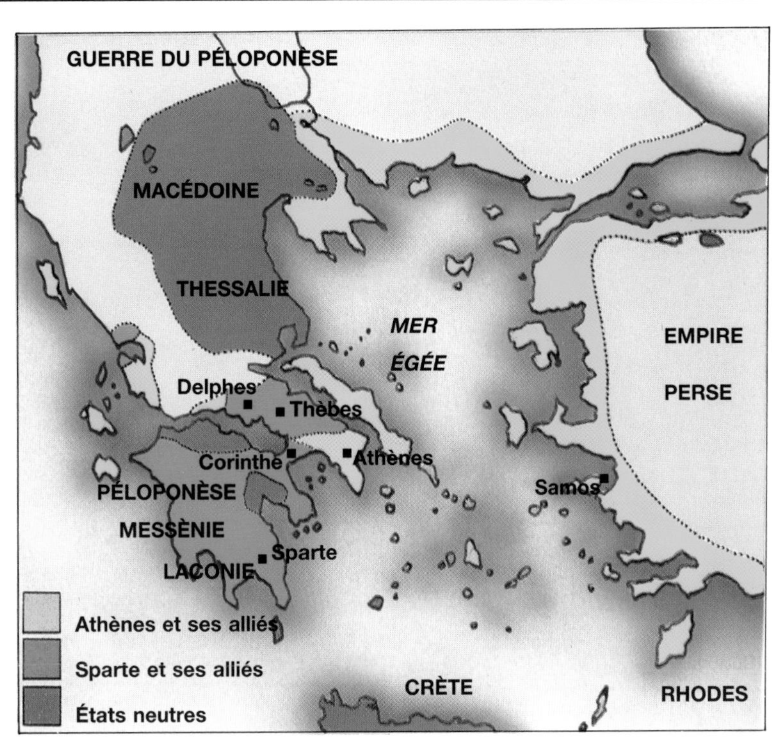

CHRONOLOGIE

447 av. J.-C. Sous la conduite d'Athènes, une nouvelle ligue se crée contre la Perse.

469. La flotte athénienne, commandée par Cimon, défait les Perses en Méditerranée orientale.

± 460-455. Une flotte athénienne tente de s'imposer en Égypte, mais elle échoue lorsque les Perses font astucieusement baisser les eaux sous elle et elle est capturée.

± 468-446. La première guerre du Péloponèse entre Sparte et ses alliés et Athènes et ses alliés s'achève sans qu'il y ait eu ni vainqueur ni vaincu.

Milieu et fin du Ve s. Époque des grands dramaturges athéniens. Athènes encourage – ou force – ses alliés à adopter la démocratie.

447. Début de la construction du Parthénon, suivie de celle des Propylées, cette entrée monumentale qui impressionna plus encore les Grecs.

431. Percevant des signes de faiblesse chez les Athéniens, Sparte entreprend la grande guerre du Péloponèse.

421. Une première phase se termine avec un léger avantage pour Athènes.

415. Athènes envahit la Sicile et cherche à dominer sur toute la Méditerranée.

413. Athènes perd sa grande armée d'invasion devant Syracuse en Sicile.

404. Sparte et ses alliés affament Athènes et l'obligent à se rendre.

La vie à Athènes

La démocratie laissait au citoyen une remarquable liberté d'expression, il ne craignait pas l'autorité puisque, d'une certaine façon, il la partageait. Un riche s'était plaint de ce que «ni les pauvres, ni les ânes, ne lui cédaient le passage en rue!»

La ville était accueillante aux étrangers et à leurs idées. De nombreuses fêtes s'accompagnaient de repas gratuits et le pauvre recevait de quoi se payer une entrée au théâtre. Les tragédiens inspiraient des sentiments d'effroi ou de sympathie malgré le port de masques. Par ailleurs, l'ambiance des comédies était plus détendue. Les acteurs y critiquaient les politiciens et les hommes en place; ils lançaient des plaisanteries parfois grossières devant un auditoire souvent éméché par le vin.

La pensée grecque

Athènes devint le centre de la pensée hellénique. On y pratiquait la philosophie, une science née en Grèce. Des sages, comme Socrate, faisaient découvrir par des questions adroites combien les idées courantes au sujet de la connaissance et de la justice étaient superficielles. C'est au cours de banquets que les hommes s'instruisaient par la discussion et la critique mutuelle de leurs conceptions philosophiques.

La vie à Sparte

À Sparte la vie offrait moins de délassements et de liberté. La ville ressemblait à un camp militaire car les Spartiates craignaient les attaques de leurs serfs, les hilotes. Aussi s'entraînaient-ils à devenir de bons soldats et pour que tous s'habituent à affronter bravement la mort au combat, les lâches étaient frappés et insultés. Ils s'appelaient eux-mêmes les « égaux » et se méfiaient de celui qui était différent des autres. Ils n'appréciaient ni livres ni idées nouvelles.

Les garçons apprenaient à voler et à mentir pour devenir de rusés combattants. Le concours de vol de fromages (illustré ci-contre) les entraînait à développer leur courage mais aussi à éviter les coups qu'on leur distribuait sans ménagement.

Écoles et enseignement

À Athènes, seuls les garçons allaient à l'école. Les filles restaient chez elles et étaient instruites par leur mère. Les garçons apprenaient la lecture, l'écriture et le respect de la sagesse contenue dans les poèmes d'Homère.

L'enseignement se faisait probablement dans une ambiance détendue et ne comportait pas d'examens écrits. Ceci peut expliquer en partie pourquoi les adultes gardaient tant de goût pour l'étude. On disait des Grecs qu'ils ressemblaient à des enfants parce qu'ils ne cessaient de poser des questions intelligentes.

Le gouvernement à Athènes

Les décisions importantes d'Athènes, comme celle d'entrer en guerre, étaient prises au cours de grands rassemblements des citoyens mâles. Il y a actuellement peu de pays où l'homme de la rue jouisse d'autant de pouvoir.

Si les généraux étaient élus – ce fut le cas pour Périclès (photo à droite) –, la majorité des fonctions étaient attribuées par le sort; le simple citoyen avait ainsi sa chance. Un homme trop puissant pouvait être frappé d'ostracisme – banni pour 10 ans. Les votants favorables au bannissement inscrivaient son nom sur un débris de poterie ou *ostrakon*.

Guerroyer sur terre

La principale force utilisée pour guerroyer sur terre était la phalange formée de rangs d'hoplites lourdement armés. Munis de grands boucliers, ils combattaient épaule contre épaule, en avançant lentement et transperçaient de leur lance le cou de l'adversaire. Les archers ennemis qui les menaçaient se faisaient disperser par la cavalerie. Ci-dessous un hoplite s'arme avec l'aide de sa femme et de ses enfants.

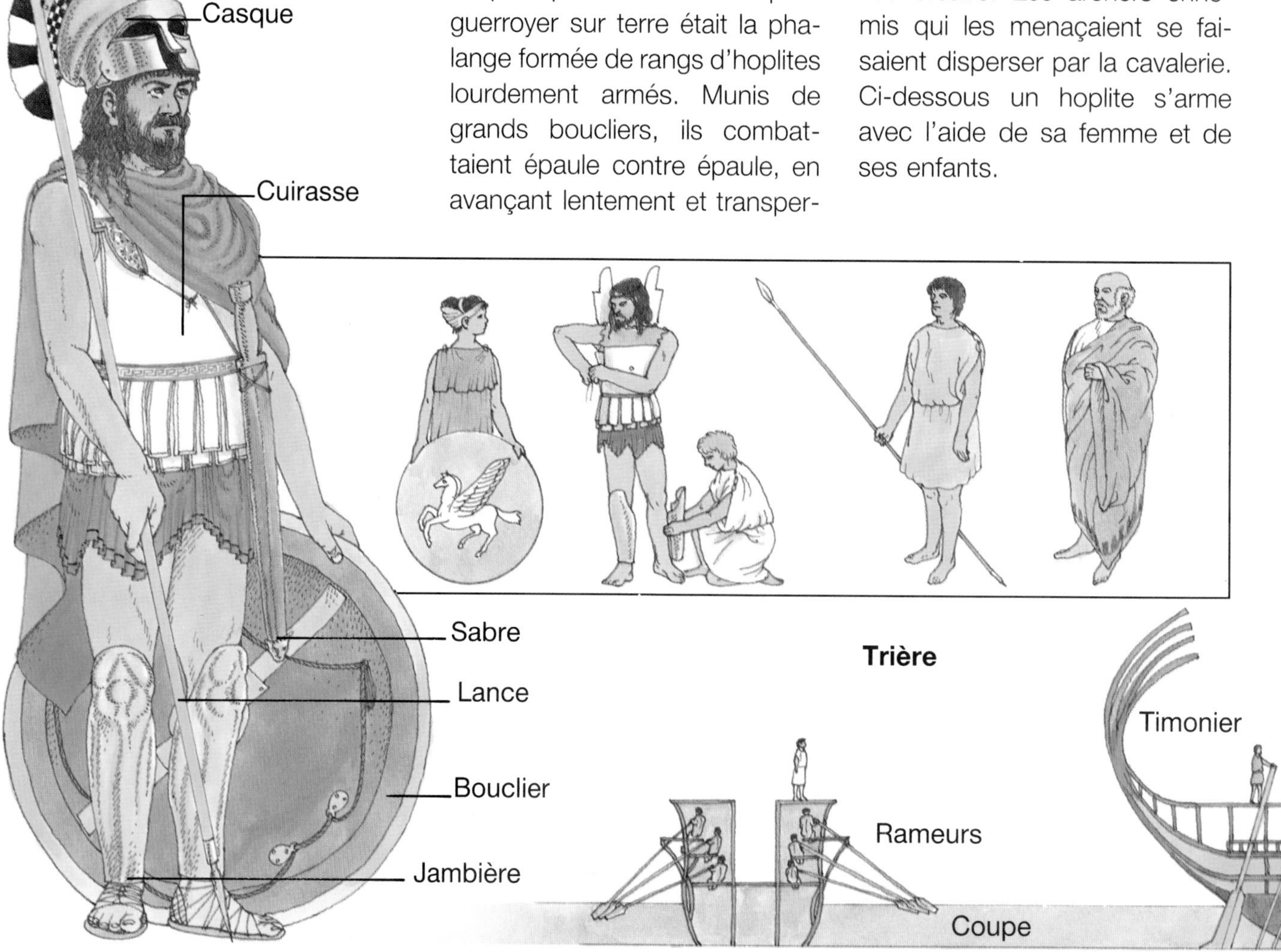

La guerre du Péloponèse
Sparte craignait qu'Athènes ne lui ravisse le contrôle du Péloponèse, cette partie méridionale de la Grèce qui était sous sa domination. Sa politique était d'attendre, pour attaquer, un moment de faiblesse chez sa rivale du nord-est.

En 431, les Spartiates et leurs alliés incendièrent les fermes et les maisons autour d'Athènes (voir illustration), mettant les Athéniens au défi de sortir et de combattre. Conseillés par Périclès, ces derniers refusèrent l'affrontement, puisque les murailles les protégeaient de l'ennemi et que leur flotte apportait nourriture et argent. En 413, Sparte se construisit également une flotte, ce qui lui permit de couper la route aux navires ravitaillant Athènes. En 404, la faim força cette dernière à se rendre et Sparte devint la puissance dominante en Grèce.

Guerroyer sur mer
Athènes fut longtemps maîtresse sur mer. Sa flotte compta jusqu'à 300 trières, des navires à trois rangs de rames. Chaque trière avait un équipage de près de 200 hommes. Un joueur de flûte maintenait la cadence des rameurs. Ceux-ci manœvraient de façon à enfoncer l'éperon situé à la proue du navire dans le flanc du bâtiment ennemi, sa partie la plus vulnérable. Le bateau se brisait alors et sombrait. La plupart des marins se noyaient et ceux qui restaient accrochés aux épaves étaient harponnés dans l'eau «comme s'il s'agissait de thons, de poissons vidés du filet».

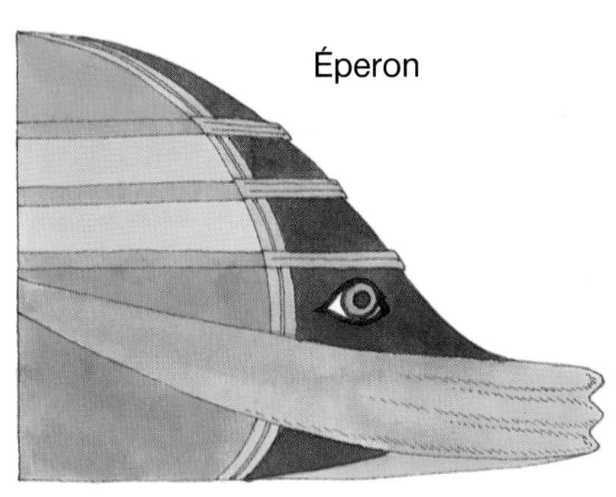

LA PÉRIODE HELLÉNISTIQUE 336-30 av. J.C.

Après la chute d'Athènes, la Grèce fut dominée par Sparte d'abord, par Thèbes ensuite. Toutes deux étaient des cités pauvres alors qu'aux frontières du nord s'affermissait la puissance de Philippe de Macédoine, une ennemi qui possédait une mine d'or.

Cet or permettait au Macédonien de s'acheter des alliances en Grèce et d'entretenir une armée professionnelle, prête à combattre hiver comme été. Ces hommes d'expérience eurent raison des hoplites grecs, moins entraînés et habitués à passer l'hiver dans leurs fermes. Dès 338, la Grèce était conquise.

Philippe avait été assassiné en 386. Alexandre, son fils et héritier, à peine âgé de vingt ans et haut de 1,50 m, se fit traiter de «gamin» par les Athéniens. Mais le gamin réalisa ce que les Grecs avaient rêvé: la conquête de l'empire Perse. Alexandre et ses successeurs répandirent, de l'Égypte jusqu'en Inde, la langue et les coutumes grecques.

L'empire Perse fut longtemps protégé par son étendue même. Mais Alexandre sut gagner par son courage le respect de ses hommes qui accomplirent, avec une docilité inhabituelle, les énormes marches qu'il leur imposait. L'illustration représente la bataille d'Issos en Cilicie où Alexandre (à gauche) battit Darius III, le roi de Perses (à droite).

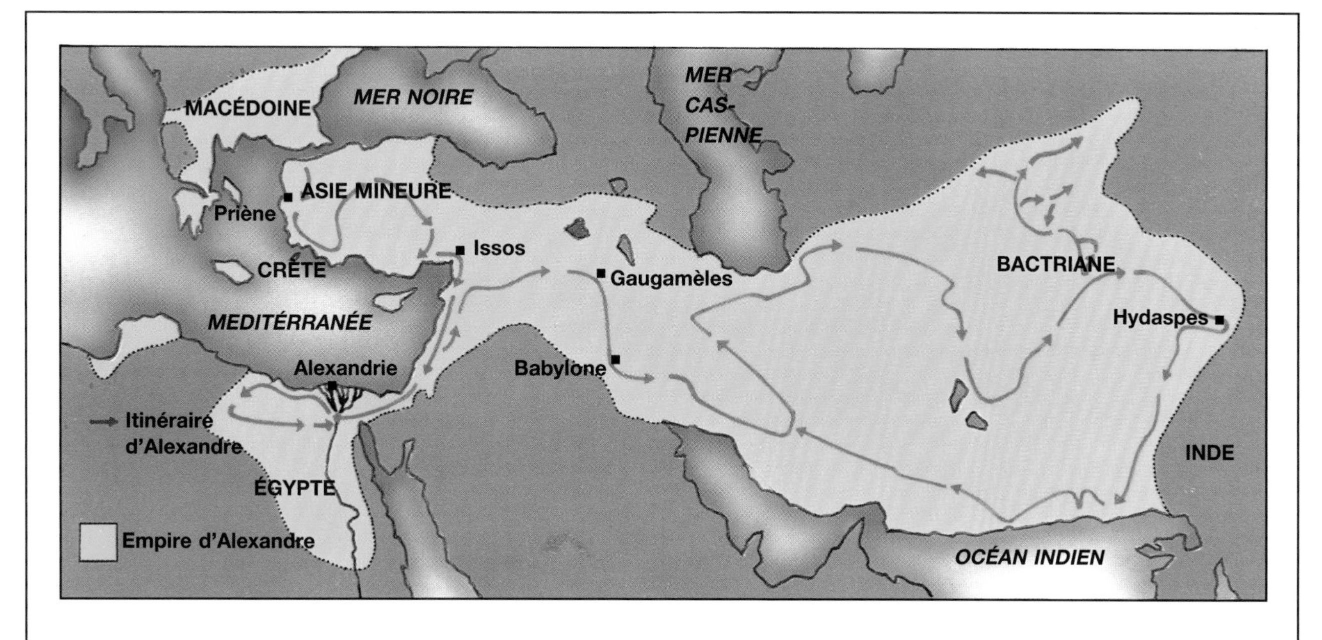

CHRONOLOGIE

336 av. J.-C. Alexandre hérite de la Macédoine et de la Grèce.

334. Alexandre envahit l'empire Perse et conquiert l'Asie mineure.

333-331. Alexandre écrase le roi Darius III à Issos et à Gaugamèles. Il annexe l'empire Perse et fonde Alexandrie en Égypte.

326. Alexandre conquiert le Panjab au nord-ouest de l'Inde.

323. Alexandre meurt à Babylone. Ses généraux se partagent l'empire. Séleucos et ses descendants reçoivent l'Asie, Ptolémée et sa famille l'Égypte, les descendants d'Antigone la Macédoine.

168-27. Rome conquiert la Macédoine puis la Grèce.

51-30. Règne de Cléopâtre VII, dernière des Ptolémées. Son royaume est conquis par Rome.

Alexandrie, cité du savoir
Alexandre avait fondé plusieurs villes appelées Alexandrie, mais la plus importante fut celle de la côte nord d'Égypte. Elle devint le centre intellectuel du monde hellénistique, et rétribuait généreusement les savants étrangers attachés au «Mouseion» (institut scientifique d'où vient le terme de musée).

Le grand phare d'Alexandrie, le «Pharos» (à droite) guidait les marchands qui cinglaient vers l'Inde et l'Orient.

Une science nouvelle
Les souverains hellénistiques exerçaient un grand pouvoir sur leurs sujets et étaient souvent vénérés à l'égal des dieux. L'écrivain qui osait critiquer ou déplaire était puni; aussi les lettrés se tournèrent-ils vers la poésie romantique et les sciences, des sujets à moindre risque!

La médecine fleurit à Alexandrie. Hérophile fut le premier à étudier l'anatomie en disséquant des cadavres. In contribua ainsi à mieux connaître les différentes parties du corps ainsi que les causes des maladies et des décès. Un autre médecin, Érasistrate, fit d'importantes découvertes sur la circulation du sang.

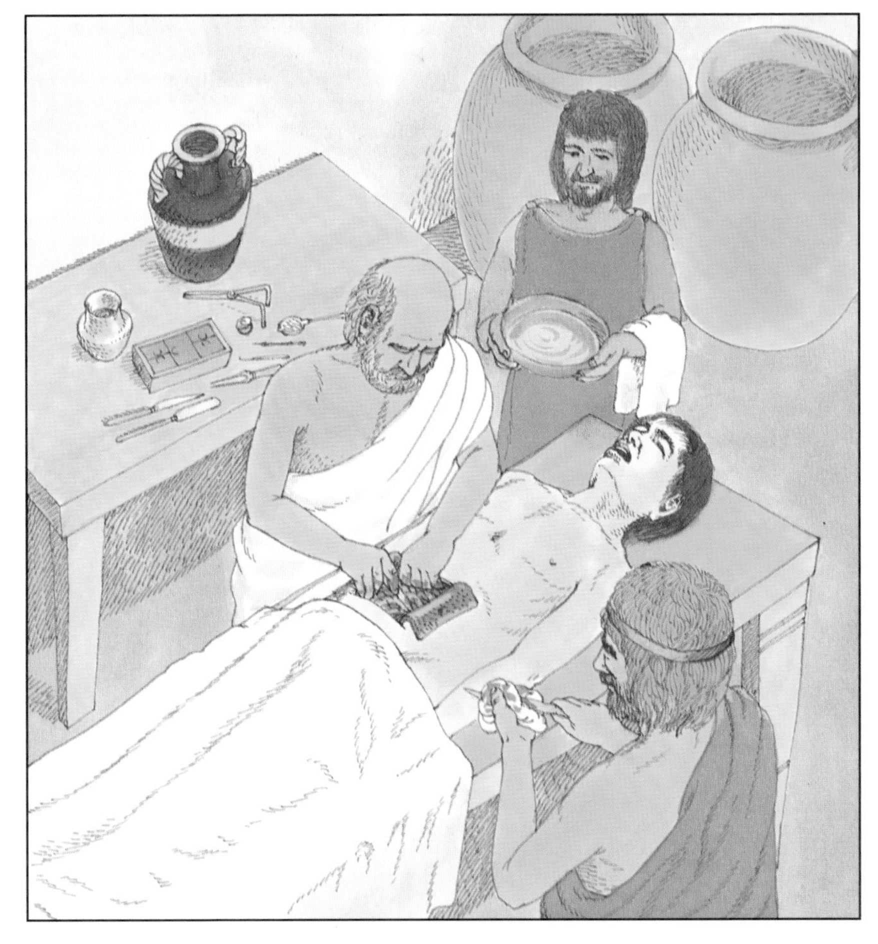

Les mathématiques

Les savants d'Alexandrie calculèrent les dimensions de la terre au moyen de la géométrie. Ératosthène remarqua que, dans le sud de l'Égypte, un cadran solaire vertical ne projetait aucune ombre lors du solstice d'été, car le soleil se trouvait alors au zénith. Mais au même moment un cadran situé à Alexandrie en projetait bien une. En mesurant l'angle de cette ombre et la distance entre les deux cadrans, il calcula la circonférence de la terre avec seulement 10 pour cent d'erreur.

Les inventions

Les inventions de cette époque furent nombreuses. Archimède mit au point des machines de guerre, dont une grue capable de saisir et de renverser un navire et même, dit-on, un assemblage de miroirs pouvant mettre le feu à des vaisseaux. Ci-dessous, il surveille des forgerons ajustant des cercles de fer autour d'une vis d'Archimède, un engin destiné à élever de l'eau d'un niveau à un autre. Elle est encore utilisée en Égypte (voir photographie). Au Ier s. ap. J.-C., Héron l'Ancien conçut une machine à vapeur, mais elle ne causa pas, comme au XVIIIe s., de révolution industrielle. Les travaux de force étaient considérés comme méprisables parce que réservés aux esclaves.

Alexandre en Orient

La conquête de la Perse ne put satisfaire Alexandre; il voulut atteindre les limites du monde qu'il croyait situées sur la côte est de l'Inde. La route était barrée par Pôros, un roi indien, et son armée pourvue de terrifiants éléphants de combat. Alexandre le défit à Hydaspes (326) et poursuivit sa marche. Mais, épuisés, les soldats dirent: « Cela suffit! » Ils craignaient de ne jamais revoir leur pays. Espérant les entraîner, l'empereur se retira pendant trois jours sous sa tente, puis fit mine de partir seul. Mais personne ne le suivit. Il fut forcé d'annoncer la retraite que les troupes accueillirent avec joie. Ce qu'aucun ennemi n'avait réussi, ses propres hommes l'avaient accompli: ils avaient arrêté le conquérant.

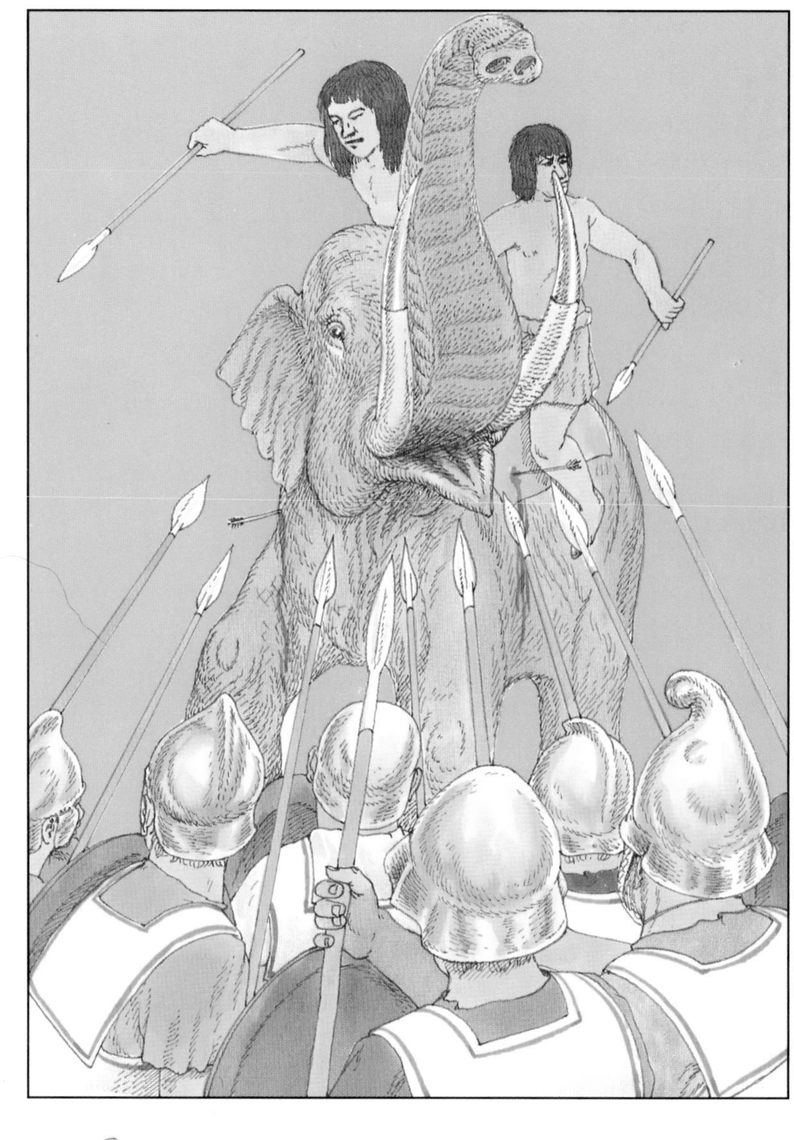

Lors de la bataille d'Hydaspes, près de 200 éléphants de guerre se tenaient à l'avant de l'armée de Pôros. Le roi commandait du haut d'une de ces bêtes. Lorsqu'elles chargeaient, elles devenaient une arme redoutable; mises en ligne elles constituaient un mur de protection pour les soldats.

Après la mort d'Alexandre, les Grecs obtinrent 500 éléphants de combat bien dressés en échange de territoires en Inde.

Le rayonnement de l'empire

L'empire d'Alexandre était immense. Les monnaies représentées ci-dessous proviennent de trois de ses nombreuses régions: la Crète, l'Égypte et la Perse. Toutes portent l'effigie du conquérant.

Pour protéger sa frontière de l'est, Alexandre laissa des troupes coloniser la Bactriane et le nord-ouest de l'Inde. Après sa mort, les gouverneurs s'y proclamèrent indépendants. Ils voulurent même annexer des territoires vers l'ouest, mais furent repoussés par la cavalerie perse au service des Séleucides, héritiers du grand roi. Les successeurs d'Alexandre maintinrent en Orient des centres vivants de culture grecque.

Ci-contre les ruines de la cité hellénistique de Priène en Asie mineure.

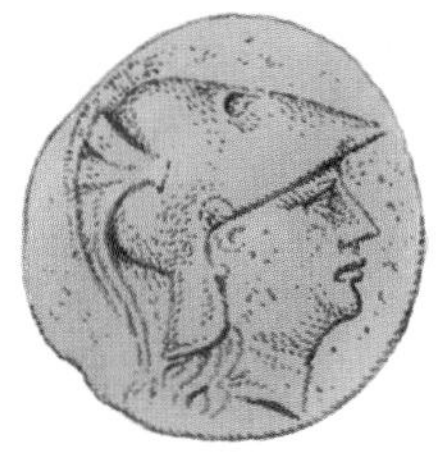

L'influence grecque à Rome

Les Romains s'emparèrent finalement des principaux royaumes hellénistiques. Mais la culture grecque survécut grâce aux esclaves et aux affranchis du pays soumis, qui exercèrent une grande influence, devenant parfois même conseillers de l'empereur (voir illustration). La plupart des écrivains romains prenaient la littérature grecque comme modèle. Au début du IIIe s., Constantinople, une ville grecque, devint capitale de l'empire. Ses habitants étaient fiers de pouvoir se déclarer « Romains », mais le disaient en grec !

L'HÉRITAGE

La pensée grecque, si intelligente, n'a cessé d'attirer tous les esprits. Mais les invasions qui mirent fin à l'empire romain d'Occident, plongèrent l'Europe dans la barbarie. Pillages, incendies, destructions causèrent la perte irréparable d'une bonne partie de la littérature grecque. Le christianisme se répandit en Europe et, dans les monastères, qui étaient au Moyen Age des ilôts de culture, les moines recopiaient les œuvres sauvées. Les Arabes faisaient de même à Bagdad. Entre-temps, l'enseignement s'était à nouveau développé et au XVe s.; le public «redécouvrit» tout l'intérêt de la culture grecque (Renaissance). Depuis, le grec est enseigné dans bien des écoles; les anciens traités de politique et de philosophie sont encore des documents de base.

Les Jeux Olympiques

Nos Jeux Olympiques sont relativement récents. Ils datent de 1896. Ils prirent comme modèle les Jeux de la Grèce ancienne, tenus tous les quatre ans à Olympie. Tout comme nos Jeux modernes, ceux-ci étaient l'épreuve suprême pour les athlètes. Hier comme aujourd'hui les États utilisaient les champions à des fins de propagande, truquant parfois les courses et achetant les arbitres.

Le théâtre

L'art dramatique semble né d'un simple chœur qui célébrait le dieu Dionysos. Les représentations se donnaient dans des théâtres construits à flanc de colline, afin d'assurer une bonne visibilité et une acoustique parfaite. Certains de ces théâtres sont encore en usage aujourd'hui (comme celui photographié ci-dessus. On y joue une œuvre du célèbre dramaturge grec Éschyle, qui tient toujours l'affiche). Bien des théâtres modernes ont été construits en utilisant les normes du théâtre grec ancien.

L'architecture

L'architecture grecque est célèbre pour ses colonnes élancées. Elles décoraient d'importants bâtiments, comme le Parthénon (voir ci-dessus). Aujourd'hui encore, bien des villes se sont inspirées du style grec pour leurs monuments, spécialement ceux réservés à la pensée tels bibliothèques et musées.

INDEX

Origine des photographies
Pages 8 et 31 (en haut): C.M. Dixon/ Photoresources; page 10: Roland Sheridan/ Ancient Art and Architecture; pages 15 et 16: Robert Harding; page 29: Spectrum; page 30: Leo Mason; page 31 (en bas): Greg Evans.